벤저스
Tokyo Revengers
케로부터의 편지~
-Letter from Keisuke Baji-
2
만화 Yukinori Natsukawaguchi × 원작 Ken Wakui

도쿄卍 리 벤 저 스

Tokyo Revengers

~바지 케이스케로부터의 편지~
-Letter from Keisuke Baji-

2

만화 Yukinori Natsukawaguchi ✕ 원작 Ken Wakui

CONTENTS

제6화 「I know you know」

귀라미위의 습격에서 우리 이외의 부상자가 나오지 않은 건 좋았지만,

그 후가 문제였다.

설교 지옥에 반성문 지옥.

이번만은 다르다─.

평소 같으면 그런 건 그냥 무시했겠지만

1주일 동안 평생 다닐 만큼 교무실을 들락거렸던 것 같다.

류세이가 늘 그렇듯이 주저리 주저리 떠들어서

바지 선배가

바지는 더 이상 불량배의 세계로 돌아가고 싶지 않다고 했어요….

하지만 저희가 억지로….

어떻게든 얼버무려준 덕분에

불량배 라는 걸 숨기기 위해서다.

사…, 사토 말이 맞아요.

3

바지 선배의
책임은
묻지 않기로
했다.

…뭐,

끌끌

끌끌

이래저래
귀찮은
1주일
이었지만,

나와
류세이는

우리 학교에선
이례적인
근신 처분을
먹었지만.

아래의 학생들에게
1주일 근신 처분을 내린다.

1학년 1반 마츠노 치후
1학년 5반 사토 류세이

4

—그렇게
돼서,

오오
….

과연
류세이
군.

근데
치후유
라면…,

신입?!

보다시피
나는 팔이
부러
졌지만

귀라미위는
류세이와
치후유가
처리했다…!!

......

...감사합니다.

의외로 제법 이구나, 너.

투웅,

지금 우쭐한 표정 이었어

크...아, 안 그랬어!!

너무 잘난 척 하지 마라, 신입.

뭐, 류세이 군이 있어서 이겼겠지만.

뭐, 아무튼—.

...멋있어....

좋겠다... 특공복—.

젠장... 대우가 뭐 이래...

제법 활약했다고 생각하는데...

나만 아직 사복 이고...

추우우욱

힐끔...

치후유.

이번엔 고마웠다.

아….

네….

류세이도 뭔가 할 말 있어?

다들 정신 바짝 차려라.

놈들도 이젠 쉽게 덤비지 못하겠지만

…우오~~!! 바지 선배한테 칭찬받았어….

야,
류세이!!

……

멍청아!!
…멍때리지
마.

하하하…

뭐, 됐어.
오늘은
이만
해산이다.

…응?

잘생겼다고?
알아,
알아.

—그날
이후

역시

류세이가
이상하다.

「요츠야 괴단」
이라는
팀이ㅡ.

그것뿐이다.

내가
말할 수
있는 건

......

넌 나를
제치고
부대장
이잖아.

바지 선배도
집회 중에
요츠야 괴단
얘긴 하지
않았고,

어이.

나도 본인이
숨기고 있는
과거를
파헤칠 생각은
없지만

언제까지고
마음이
떠 있는 건
좋지
않아…!!

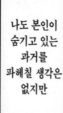

수고하셨쇼─

감삼다─

너 말이다.

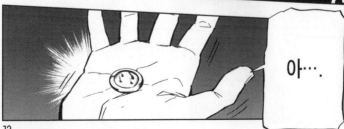

…야!! 너 뭐 하는 거야?!

조금 활약했다 했더니 당장 사고나 치고!!

…죄… 죄송합니다….

다음에 또 그러면 그냥 넘어가지 않아.

…도만은 내부 싸움 금지다.

…….

그래, 부탁해♡

죄송합니다, 류세이 군. 이 녀석에겐 따끔하게 말해둘 테니까….

그리고 특공복이라는 건 팀의 사상이나, 그 일원으로서의 각오가 담겨 있어.

함부로 훼손하지 마라.

......

다음 날ㅡ.

...류세이.

야!!
류세이!!

쳇…

언제까지
무시할…

죠…·용

야!!

안 자면
나와!!

…….

도대체
뭐야,
그 자식!!

왜 그런지
몰라도
엄청
열 받아…!!

슬렁

너 요즘 도대체 뭐야?!

까불지 마라!!

슬렁

…뭐?

…….

야, 류세이!!

……!!

귀라미위한테 너무 얻어맞아서 네가 이상해진 거 아냐?

그냥 평소랑 똑같잖아.

…….

어이!!

네가 그런 식이면….

아니!! 네가 이상해!! 분명히 이상해!!

오늘 방과 후에

역 뒤에 있는 공원으로 와라.

헉, 바지 선배.

…류세이… 치후유 ….

너희들,

류세이와 둘을 같이…

네…!

불러냈어…?

야.

왜 불려온 것 같아?

……

…글쎄?

네가 요즘 하도 얼이 빠져 있으니까…

부대장을 나로 바꾸겠다는 얘기라든가.

저벅—

하하.

그럴지도.

픽

'그럴지도'

가 아니라고.

—뭐 하는 거야, 너….

!!

큭….

…세다. 커헉….

허세나
허풍 따위
없어도

지금까지
맞짱 떴던
놈들 중에
최고….

24

...최강
이잖아.

1번대
...!!!

무슨 일이
있었는지는
상관없어.

네가
부대장
이니까,

거지 같은
과거
따위보다

1번대의
미래만을
봐!!!

퍼

억

털썩

25

아하하
하하.

왜…
왜 웃어?!

아냐,
아냐….

……

후훗….

뭐라고?!!

케이스케 군이
있고,
내가 있고,
대원들이 있고,
너는 후보닪아.

그만해,
바보들아.

더 맞아야
정신을
차리겠냐….

진짜 한 번 더 맞아야 정신을 차리겠어?

하여간 넌 내 말을 죽어라 안 듣는구나.

헉, ···바···, 바지 선배!!

부느럭···

아—···.

그나저나 케이스케 군. 오늘은 왜 불러낸 거야?

죄··· 죄송 합니다···.

큭···. 좋겠다···.

계속 싸워서 너덜너덜 해졌고 단추도 떨어졌으니까, 이번 기회에.

류세이의 특공복을 만들어 왔어.

이야— 좋은 냄새. 새 특공복의 냄새. 최고지? 치후···.

아, 미안. 모르겠 구나.

그리고···,

뭐야?!

오···. 땡큐!!

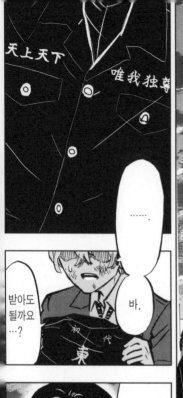

天上天下　唯我独尊

……

바,

받아도
될까요
…?

뭐,
귀라미위
건이
있으니

1번대에서
불평할 놈은
없겠지.

너도.

...감사

뚜

합니다
...!!!!

응

...그래서?
류세이.

특공복 받고
우는 녀석은
처음 보네.

이젠
괜찮냐?

무슨
얘기야?

...응?

뭐,
아무튼
기분은
좋아.

야,
치후유.
울지 말고
한번
입어 봐.

저 바보
덕분인가?

응!!

으...,

...캑.

32

도쿄 만지회
1번대
마츠노
치후유.

잘 부탁
합니다.

벗어!!

어때?
멋있지?
페케J.

도쿄 리벤저스
Tokyo Revengers
~바지 케이스케로부터의 편지~
-Letter from Keisuke Baji-

제7화 「There was a time」

도쿄 만지회
1번대…

몇 번을
하는 거야?

무슨 연습인데?

도쿄
만지회
1번대…

아하하

우오옷,
류세이 너,
있으면
있다고
말을 해.

살
칵

마츠노
치후유다
…!!!

35

아, 옥상에 있었구나, 치후유. …류세이도.

그보다 너, 왜 학교에 특공복을 갖고 왔어?

뭐, 됐어.

치후유 너, 오늘 방과 후에 시간 있어?

네? 아… 네!!

아…, 죄… 죄송 합니다 …!!

―한가하면 부탁할 게 좀 있는데,

잠깐 우리 집에 와줄래?

넷!!

'바라던 바입니다!!

바지 씨에게 도움이 될 수 있다면 어떤 상대라도 해치워서….

아, 그렇지. 조금 힘들지도 모르는데, 괜찮겠어?

38

고마워, 치후유.

하여간 넌 약한 주제에 싸움이나 하고 다니니까 치후유한테 민폐나 끼치는 거잖아.

누가 약해?!

아, 아뇨. 저는 괜찮아요. 이 화장대는 어디로 옮길까요?

엄마 방 구조 변경을 도울 예정이었거든.

풍수지리적으로 운이 좋아진다나?

내가 팔이 이렇게 되는 바람에 미안하게 됐다.

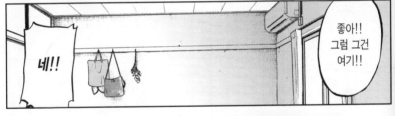

좋아!! 그럼 그건 여기!!

네!!

뭐, 바지 선배에게 도움이 될 수 있다면야 뭐든지 상관없어!!

...그렇군.

이런 거였냐...

싸우는 건 줄...

아!! 엄마, 내 만화가 어디 갔나 했더니, 왜 여기 있어?!

아, 제가 옮길게요!!

치후유, 역시 거실 가구도 중요하다니까 이거 끝나면 그쪽도 부탁해.

...아... 네!!

네?!

케이스케 너! 나 그거 아직 다 안 읽었단 말이야. 다음 권에서 울 것 같아서,

어디까지 읽었는지 가르쳐 주세요!!

거기 점원이 스푼 주는 걸 자주 깜박하니까 잘 챙겨 와.

넷!!

딸기가 기합을 보여주는 그거.

그리고 디저트 코너에서 작은 파르페도.

넷!!

아. 미안, 치후유. 편의점에서 쓰레기봉투 좀 사다 줄래?

빤——쩍

드디어 끝났네요.

......

아, 미안. 틀렸다.

네...?

되긴 뭐가 돼? 운빨 떨어져서 네 팔이 그렇게 된 거야.

...그게 무슨 상관이냐고!!!

우와아아. 괜찮아요!! 제가 할게요!!

...하지만

다른 페이지를 보고 있었어. 이러면 운이 안 올라와. 반대다. 반대. 전부 반대.

진짜 뭐 하는 거야.

그냥 이걸로 됐어!!

류세이도 있는데 나만 불렀다는 건…

바지 선배에게 난 아직 '잡일 담당' 같은 존재….

쿠응…

왜 그래? 뻗었나? 꽤 많이 일했지.

하아 —!!!

무거워….

묵직…

끄응!!

끄으윽!!!

아냐, 아냐!!

집이 가까워서야. 응, 분명히 그럴 거야.

지금은 선배 집의 운빨을 올리는 것만 생각해.

아니, 괜찮습니다! 이건 혼자 들기엔 좀….

42

됐으니까
좀 쉬어.

......

…그보다

나는

도대체
뭘까?

바지
선배에게
있어.

그럼

좋아,
이제
됐지?

밥 먹자.

그래.
괜찮지
않니?

보글...

보글...

네!
맛있다
!!

고마워.
많이
먹어.

…야,
치후유.
어떻게
생각해?

서스펜스 극장

난 범인이 누군지 알았어. 저기 뒤에 있는 여자야.

화요 서스펜스 극장 말이야!!

네? 뭐가요?

아, 그리고 보니 미스터리 연구회 녀석이랑 친하다고 했었죠?

흐응…. 이런 걸 좋아하시는구나.

이때 현장에 없었다고 했지만, 트릭을 쓴 거야. 틀림없어.

…음악으로…?

…아! 로직이요?

아…아—, 그거야, 그거…!!

그러네요!! 알겠습니다!! 생각해 볼게요!!

멍청아! 감이 아니야.

'뮤직'으로 생각해야지.

히히…! 저도 범인을 맞혀볼게요!!

그런 감은 꽤 좋거든요.

호오—….

아… 저어, 눈물나네요. 범인의 과거….

이 사람이 아저씨면 엄마도 아줌마 잖아.

아저씨, 아저씨 하지 마. 이 사람 그렇게 아저씨도 아닌데.

아, 봐. 역시 저 아저씨가 범인 맞잖아.

그러면 재미고 뭐고 없잖아.

뭐야?! 너 지금 뭐라고 했어, 케이스케!

너희들 바보구나. 이런 건 대체로 인물 소개에 4번째로 나오는 사람이 범인이야.

주연, 파트너, 여자, 그리고 그 다음이 범인!! 그러니까 저 아저씨가 범인이야.

뭐야?!

쿨

쿨

쿨
쿨

쏴
아
아
...

......

달
그
락

달
그
락

디ー잉

두 사람
다
잠들었어.

...나는
어떻게
해야...

...잡일
담당인가...

치후유.

철칵…

문은 안 잠가도 되니까.

그리고

아….

넷!!

그리고 롤케이크도. 그 초코칩이 뿌려진, 한 단계 위라고 우기는 건방진 녀석.

편의점에서 숙취해소 드링크 좀 사다 줄래?

케이스케를 잘 부탁한다.

이 녀석이 하는 일엔 언제든 성의가 담겨 있어.

나 같은 바보랑 더 바보인 아빠 사이에서 태어난 탓에

이런 바보가 되어 버렸지만.

내가 그거 하난 철저하게 가르쳤거든.

대충 하진 않는 녀석이야.

그래도

후후….
이 녀석이 친구랑 웃는 모습은 오랜만에 봤어.

그런 케이스케가 드물게 집으로 데리고 온 친구니까.

케이스케도 외동이니까

'동생'처럼 느끼는 건지도.

치후유.

같이 가자.

오늘은 미안했다.

내가 다친 거랑 운이니 뭐니 하는 건 상관없다고 그렇게 말했는데, 엄마도 참….

아뇨.

괜찮 아요!!

어머님한테 인증받아서 느낌이 딱 왔어요.

뭐?

전 바지 선배에게 있어 '동생'인 거라고!!

히 히

…그러니까!! 저!!

잡일 담당이든 뭐든 할 거니까 바지 선배 옆에….

전 그냥 바지 선배를 따라가면 된다는 거예요.

많은 일이 있어서 그 사실을 깜박했었나 봐요.

…무슨 소리야…?

제8화 「The imitation」

그래서 그 바보가…

하하하…

아프잖아….

앞을 보고 걸어라, 너희들…

!!

…아앙?

누구한테 대고 입을 놀리는 건지 알고 있는 거냐?

도쿄 만지회
총장
사노 만지로.

부총장
류구지
켄이다.

야야,
거기 서.
뭐 잊은 거
없어?

죄송
합니다
!!!

히익…
아뇨,
저기…

파트너
'드라켄'
…?!

우오…
'무적의
마이키'와

그런 우리가 '최고의 경험'을 할 수 있다고!! 즐기지 않는 게 바보 아냐?!

'최고'를 목표로 열심히 노력해봤자 하찮은 청춘이 기다릴 뿐이야.

우린 어떻게 굴러도 '최고'가 될 수 있는 그릇이 아니라는 건…!!!

알지?!

…하지만 아무래도 본인을 아는 사람이 보면…

저벅…!

쫄지 마. 지금까지도 괜찮았잖아. 우린 꽤 많이 닮았다니까!!

애당초 너도 상당히 좋은 경험을 하고 있잖아!!

으아―

뭐… 그렇긴 하지. 후헤헤…

어…?

도쿄 만지회 부총장이랑 어깨가 부딪쳤으면서 미안하다는 말 한마디로 끝날 줄 알았어…

…어이, 너희들.

아, 미안!!

투웅

바보, 그런 일이 그렇게 쉽게 일어나겠냐…

......

우오~~~!! 안녕하세요.

두 분의 전설은 늘 듣고 있습니다!!

야, 류세이. 넌 부대장 주제에 못 알아본 거냐?!

......

부... 부대장 ...?!

가짜 가짜 가짜 ....

...으음.

아.

이 녀석들인가.

그러고 보니 최근 총장과 부총장의 이름을 사칭해 돈을 뜯어내는 놈들이 있다고 들었는데,

...그래, 그렇구나.

빵

아…
어….

…그래.

안녕
하세요♡

뭐 그렇게
인사해?

나랑
두 사람
사이니까

으…
응….

…….

이거…
혹시
안 들킨
건가…?

쓰읏

야,
너희들.
힘 좋구나.
그 짐은
뭐냐?

쏠곤…

부대장
클래스를
속일 수
있다니,
역시 우린
꽤 닮았다는
뜻이지?

이건ㅡ.

아,

후헤….
그런
지도….

62

교내 모의고사에서 1등 같은 거 하지 말란 말이다!!

불량배 짓이나 제대로 해.

쿡⋯. 마음에 안 들어⋯.

미안, 미안.

내 눈엔 누구나 다 바보로 보여서.

마⋯, 마이키는 관심 없는 놈하고는 말 안 섞어.

그럼.

네?

그럼 같을까요?!

바지 선배도 기뻐할 거예요.

맞아요!!

저하고 말씀 안 하셔도 되지만, 바지 선배를 기쁘게 해주세요!!

어라라~~~? 어쩐지 냉정하시네요~~~?

평소의 두 사람이라면 그런 말은 절대 안 할 텐데~~♡

아싸!!
감사합니다!!

당연히
가야지!!

바…,
바보 자식.
농담이야!!

류세이
너,
실례
잖아!!

두 분,
죄송
합니다!!

아…,
아니…,

또끔

설마설마
했거든요♡

최근 가짜
두 사람이
출몰한다고
들어서

잘됐다
~~.

어찌 됐든
바지를
만나기 전에
틈을 봐서
도망칠 수밖에
없잖아!!
…그때까진

크…,
큰일 났다.
이제
어떡하지?

불가능해♡

너 언젠가
그 건방진
태도를
싹 고쳐
주겠어!!

아…
응….
오늘은
방금 밥을
먹어서…

늘
이 정도는
나오지
않으면
화내시잖
아요.

억지로
모셔
오기도
했고

……

어…?
어쩐지
평소랑
다르네
….

설마….

케이스케 군을
만나기로 한
시간까지
마음껏
드시죠♡

두 분은
대식가
시니까
(뻥)

우오오, 굉장하다!! 강한 사람은 내장이 강하다는 게 정말 이구나!!

들킬 수는 없어—!!

바보 자식. 아까 먹었으니까 배가 눈을 떴다는 뜻이다.

단 게 제일 좋아!!!

재미있어…♥

오싹 오싹 오싹…!!

안 먹으면 '죽음'이다, 젠장—!!!

까딱하다간 도만 전원에게 흠씬…

바…, 바보 자식…. 이 상태로 싸울 수 있겠나….

꺼억.

저 녀석들, 적대시하고 있는 '모모타로' 녀석들 이네요.

저쪽도 우릴 알아봤으니 싸움이 벌어질지도 모르겠어요.

저도 함께 하겠습니다!!

이상 하네….

두 분이 식후 운동을 안 하시는 건 처음 봤어 (뻥).

아하하ー

각오해라, 모모타로ー!!!

압니다.
또 배가
고프시죠
?!

나왔다―.
도만 명물
마이키 군의
기와 격파!!
(뻥)

싸운 후엔
언제나
사우나
1시간
(뻥).

아 하하하하

어~~?!
기다려
주세요.

화장실은
왜
쫓아가?

타
다
덕

더는
무리야
…!!

잠깐
화장실
…

뭐?!

시끄
러워,
바보.
저러다
도망치면
어떻게?

69

한 방 먹고 반성할래?

너, 어지간히 좀 해라…!!

도망치다니, 너 왜 두 분을….

그러니까 이 녀석들은….

무슨 소리야.

봐. 이 녀석들 밖으로 나왔잖아.

멍

움찔

72

아….

우와, 귀엽네요. 그 개는…?

아ㅡ.

바지 선배!!

파ㅡ칭이 기르는 아프간 하운드 '포치'야.

여름방학에 1주일 여행 간 동안 내가 맡아주기로 해서 개집을 만들어 주려고.

너희들 또 싸우나?

아… 그럼 이 도구는 그것 때문에….

싸우고
있을 때가
아니야.
당장
시작하자….

야,
류세이.

그랬군요
…!!!

뭐야, 그 얼굴….

아…, 나…, 난 먼저 갈게!!

볼일이 있어서,

아—, 잠깐!! 아무것도 아냐, 아무것도 아냐.

…너 혹시

개가 무서워?!!

두둑 두둑 두둑 두둑

드디어
네놈의
약점을
발견했다,
류세이이
이이이!!!

가라, 포치!

까아아
아아악,
제발 좀
봐줘.
진짜로!!!

어이.

이 틈에
도망….

까아아

팔이
완치된
기념으로
마침
잘됐네.

너희가
바로 그
가짜구나.

뿌득

74

도쿄 卍 리벤저스

Tokyo Revengers

~바지 케이스케로부터의 편지~

~ Letter from Keisuke Baji ~

도쿄 卍리벤저스
Tokyo Revengers
~바지 케이스케로부터의 편지~
-Letter from Keisuke Baji-

제9화「Anger management」

그래서
~~ 그
바보가...

하하하...

야,
아프
잖아
...

앞을
보고
걸어라
...

......

...뭐?

누구한테
입을
함부로
놀려?

말하지 마.

알아.

코쿠분지 겐
(가짜 드라켄)

...역시 우린 마이키와 드라켄 흉내를 내지 않으면—

추욱...

스노 만타로
(가짜 마이키)

아얏...

—여어!!

쿠소노…
…군…

아….

어…?
뭐가 아파?
그냥 스킨십
이잖아.

젠장…
쿠소노
…

너희가
내 친구로
있을 수 있게
재교육을
해야겠다.

2년이나
친구였는데
너무
슬프네….
…좋아,
알았어.

난 너희랑
친하게
지내려는
것뿐인데,
너무하네….

…어쩔
수
없어….

이 녀석
때문에
우리의
중학교
생활은.

형이 흑룡의
간부라는
이유만으로
자기 하고
싶은 대로
하고.

힘내자
….

앞으로
1년만 더
참으면
졸업
이잖아.

야─, 치후유! 치후유, 치후유, 치후유─!!!

왜? 시끄러워!!

31 00

앗!!

휘익

왜…, 왜 화를 내?

아 하 하

골인 ~~ ~~.

타앙

투웅

아니, 이 자식이 사람 열 받게 하잖아!!

하나만 더, 하나만!!

하복 입고 첫날인데 지저분해지겠다.

그런 건 상관 없어!!

후오—

아아아아

32 00

점수 차가 저 정도면 그냥 포기해라.

움찔

바지 따위 별로 상관 없잖아?

바빠 보이는데, 관둘까?

아니, 바지가 너를 찾고 있었거든!!

어? 뭐야. 축구하는 거 아니었어.

…뭐? 바지…가 뭐라고?

진짜요…?

0점은 처음 봤다.

쳇….

도만의 여름 집회에 못 나가게 돼.

다음 주 추가 시험에서 합격점을 따지 못하면 여름방학 내내 보충수업이래.

못 해 먹겠네.

중대 사태네요!!

치후유…. 이게 얼마나 중대한 일인지 알아?!

쇼난 투어링도 못 가.

무사시 축제에도 못 가고

네?

그러니까…,

공부 좀 가르쳐주지 않을래?

미타라이 녀석은 집안 일을 도와야 해서 바빠.

아, 그 미스터리 연구회 친구라든가.

하지만 저도 성적이 그렇게 좋진 않아요. 누군가 다른 사람은…

아… 저라도 괜찮으시면…

… 안 되겠 네요!!

어쭈?

뭐?

아하하하

갸아아아 맞는 말씀

역시 베이비들은 내가 없으면 아무것도 못 하는구나♡

이 정도도 모르다니, 귀엽네~~.

※치후유 이미지

그럼…

류세이 …

마츠노 치후유 12세, 성심성의껏 도와드리겠 습니다…!!

합시다!! 바지 선배!!

얘~~, 케이스케.

편의점에서 앙미츠 사다줘.

단팥이 좀 덜 들어간 거….

얘, 케이….

공부하고
있어…!!

풍수의
효과가
있었네…

타
악

전일본공수

영어 시험
범위 전부
단어 카드를
만들었
어요!!

탁

뭐
하는
거야, 너?

하아아아…

우호

직립보행에
도구…
'원인
(猿人)'!!

언어와
불을 사용
'원인(原人)'
!!

바지 선배의
머리가
잘 돌아가게
기를 보내고
있어요!!

이거
잘 외워지네
~~
전체 역사로
다 해줘.

그건
필요
없어.

오!
고맙다!!

열심히
하고
있구나
~~.

치후유 너,
요즘 거의
한숨도
안 잤잖아….
이제
됐으니까 자.

바지 선배도
그렇잖아요….
…나만
쉴 수는
없어요.

화생 화생

비틀비틀

아!!!

추가 시험이고 뭐고 누군가 쥐어 패주지 않으면 전혀 집중할 수가 없어!!!

저 녀석들…. 지난번 그 가짜들 이네요.

마침 잘됐네요.

그때 결국 도망쳐서 못 때렸었지.

진짜냐 …!!

자, 너희들. 빨리 신발을 핥아….

응?

뭐야, 너. 지금 노예 훈련으로 바빠….

아앙?!

왜 우리를 도와주고...

아... 바지... 씨...?

졸려서 후려친 것뿐이다, 이 멍청아.

너희들도 맞을래?

뭐, 하지만

......

바지 선배, 이 녀석이 아니에요 ~~.

그냥 앞에 있길래...

...엉망 진창 이지만

...멋져 ...!!

한 놈 팼더니 후련하네. 내일 시험 잘 칠 수 있을 것 같아.

아임 바지. 하우 아 유?

아임 파인 땡큐.

93

도쿄 리벤저스

Tokyo Revengers

~바지 케이스케로부터의 편지~

-Letter from Keisuke Baji-

도쿄 리벤저스
Tokyo Revengers

~바지 케이스케로부터의 편지~
-Letter from Keisuke Baji-

제10화「The closet」

잠깐,
잠깐.
좀 무서운데.

내 팬이라면
조금 더
우호적으로
다가와주라~♡

척
···

···그런
분위기가
아닌가?

—틀림
없습니다.

재수가
좋군
一.

쑥...

척......

저
투 블록에
왼쪽 귀에
피어싱—.

가자.

인기척이
없는
곳까지
기다려
....

당연
하지.

칠까요? 마츠노
치후유
입니다.

여어.

왜
이렇게
쫓아
다녀?

…너희들
뭐야?

픽

빠
악

...심심
풀이로...,

끝날
거라고
생각하지
마라....

심심
풀이로
딱 좋네.

다른 학교
놈들이 노릴
정도라니,
나도 꽤 유명
해졌나 봐.

두ㅡ웅

이 정도
기습으로
나를
이길 수
있을 줄
알았어?

화장실에
있을 때
30명 정도
안 오면
무리야.

뭐?

......

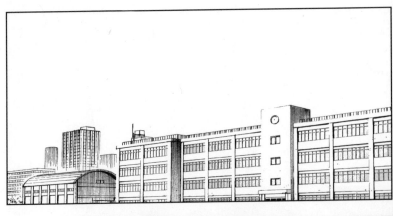

…흠…
그래…?

……

치후유.

네!

도만과
붙고 싶은
거라면
자기들이
정면에서
올 것이지.

귀라미위
건도 그렇고,
…요츠야
괴단이란
놈들은
도대체
뭔가요?

좀 더 추궁해
봤지만,
그 이상은
아무것도
모르더라
고요.

아무래도
우리 목에
상금이 걸려
있는 것
같습니다.

......

마지막으로
만났을 때도
특별히
평소와
다른 건...

혹시...

아무도
연락이
안 닿는대.

네—?

글쎄.

—그 녀석이
그렇게
호락호락
당할 것 같진
않지만.

요츠야 괴단
놈들에게...
라는
그런
얘긴가요...?

맞아요!!
아!!
그럼...

미안해요~~
아직 준비중….

어머.

귀여워
~~.

뭐야,
류세이
친구?

……!!

아,
글쎄?
방에
있지
않을까?

올라가 봐.
2층이
집이거든.

들어와.

어…,
엄청
화려한
어머니네
….

우물
쭈물

저…,
저어…,
류세이…
있어요?

어,
어머니
??!

마…,
마마…,
마츠노
입니다
…!!

반가워―.
우리 애한테도
이런 소박함이
있음 좋겠네.

마츠노는 여자 친구 있어?

…그런데

네?

아뇨… 없어요.

느닷없이…,

그렇게 말하는 동안 금방 아저씨 된다?

오늘부터 나랑 사귈래?

네에?!!

관심이 없어?!

평생 여친 안 사귈 거야?

아뇨… 그건….

흐응. 하지만 좋아하는 애는 있겠지?

어떤 애야?

없어요. 관심 없어요.

시…, 실례합니다!!

다다닷…

재미 있어….

아…, 안 돼, 안 돼. 그런 걸 생각할 때가 아냐!!

헛

미안, 미안 농담이야

나와 류세이의 엄마가 …?!

이 사람 무슨 말을 하는 거지?!

무서웠어….

근데 집이
미용실이라는 건
거짓말이었잖아!

…없어.

껄렁껄렁 이런 짓이나 하고 다니니까 당하는 거지….

역시 그 녀석 한번 납치돼서 지옥을 맛봐야 돼.

스티커 사진….

혹시 그 녀석 진짜로 요츠야 놈들에게….

나처럼 길거리에서 느닷없이 공격당해 납치 됐다거나….

110

그 녀석
옷 좋아
하는구나.

……!!

부스럭…

이건….

…없잖아?

근데 옷이
많기도 하다!
꽉꽉
들어찼네….

요츠야
괴단의
특공복
…!!

…그럼,

요츠야 괴단과
류세이 사이엔

잘라도
자를 수 없는
인연이 있었.

아무튼 진짜
납치됐으면
어떡하지…?

지금부터
요츠야로
가 볼까…?

…바지
선배.

류세이는
도대체…,

어떤
녀석
인가요…?

어머~~
아직
있었어~~?

큰일이네~~.
그렇게
집에 가기
아쉬워~~?

그럼 잠깐
같이 마시고
갈래?

콜라면 될까?

아뇨.

스낵
마사미

제11화「Batting practice」

젠장…!!
류세이 녀석
어디
있는 거야.

치후유!!

분명히
요츠야
괴담이랑
뭔가 관계가
있어…!!

…생각할
틈이 없다!!

쳇….
하여간
성가신
녀석일세…!!

심각한
표정으로
어디 가?

치후유의 추종자
사사키

치후유의 추종자
요시다

치후유의 추종자
타케우치

시끄러워!!

뭐야.
금붕어
똥들이냐.

…잠깐
요츠야에
가려던
참이야.

요즘
류세이가
학교를
안 왔잖아.

요츠야
괴단이라는
폭주족에게
납치됐을지도
몰라.

급하니까
가볼게.

나 원…

뭐?!
너희들
….
놀러
가는 게
아냐!!

좋아,
우리도
같이
가자!!

뜨거운
우정!!

그게 뭐야!
친구를
구하러
적지로
쳐들어
간다는?!!

방해는
하지 마라,
진짜로….

요츠야 역 Yotsuya Sta.

우오~~~. 두근두근 하네.

그래서? 사토는 어디에 잡혀 있어?

몰라.

어…? 그럼 어떻게….

어?

여어.

으하하
하하하.

우유를
마셔.

그래,
가르쳐
줄게.
키 크는
방법
말이지?

…뭐야.

잠깐
묻고
싶은 게
있는데.

사토
류세이라는
녀석 본 적
없어?

……

아.
뭐야.
해보자고?

3초 안에
꺼지지
않으면…

너 어디의
누구야?
여기서 우리한테
입을 함부로
놀리는 놈은
잘 없거든?

……

그럼
주먹으로
물어볼까?

이 녀석들은 모르는 것 같네.

야.

요츠야에 도착해서 1분 만에 싸우지 마.

하하하.

웃을 일이 아냐!! 게다가 너는 왜 하나도 안 다쳤어? 괴물이냐?

…어쩔 수 없지. 갈라지자.

나는 큐세이랑 같은 반이니까 …납치당했다면 내버려둘 순 없어.

그럼 좀 더 온건하게 해!! 몸이 못 버텨!!

좋아. 둘로 갈라지자.

정말이지~~!! 이런 말도 안 되는 짓을 하는 줄 알았으면 안 왔을 텐데~~!!

이 근처의 불량배스러운 놈들한테 물어보면 요츠야 괴단에 대해 알 수 있을 거야.

갈라져서 찾는 게 빠르겠지. 너희들이 같이 와줘서 살았다.

두-웅

히히…

마음대로
정하지 마.
가위바위
보 해,
가위바위보.

…요츠야
괴단에
납치
됐다고…?

가자,
치후유.

야!!

놈들은…
…인간이
아냐.

…그럼 이젠
못 돌아
올지도….
히히.

치후유….

…너희들,

집에
가라.

바…,
바보 자식.
여기까지 와서
도망칠 수
있겠나?!

요츠야 괴단의 이름을 꺼내기만 해도 거품을 물고 도망친다.

얼마나 위험한 놈들인 거야….

이놈이고 저놈이고

…뭐지?

!!

요츠야 괴단…. 그래, 알아.

어…, 어떡하지? 저쪽 두 사람도 불러서 합류할까?

나도 같이 갈게.

아니… 너는─.

어…?

저기 있는 배팅 센터가 아지트야.

진짜냐?! 고마워!!

배팅 센터

배팅 센터

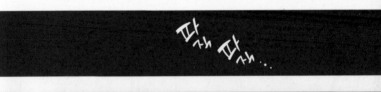

요시다!!

아…
으…

큭…

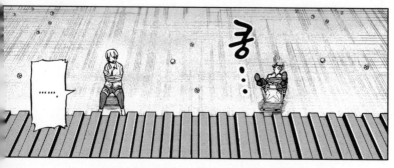

……

쿵
…

어때?
내 배팅
실력.

그만
해!!

이 자식,
뭐 하는
짓이야?!

어?

최고
예요!!

살인
야구.

오싹…

그럼
선수
교체네.

요시다를
풀어줘!!
그러다
죽어!!
빨리
병원에….

…그만
하라고
했어!!

사토 류세이.

?!!

제12화「Juvenile」

철이 들었을 무렵엔 이미 함께였지.

소꿉친구 라는 거.

둘 다 부모가 거의 집에 없는 환경이었기 때문에

늘 함께였어.

가족보다 오랜 시간을 공유했지.

맞아, 맞아.

어느 놈이나 오히려 혼내 줬지.

자주 주위의 불량배들에게 걸리곤 했어.

…요츠야에서 나쁜 쪽으로 눈에 띄었던 우린

140

142

…….

아무
것도…

모르는…
…주제에…

콜록.

……
…뭐야.

그게….

도쿄
만지회
1번대—,

마츠노
치후유…
맞지?

류세이를 꼬드긴 도만은 불쾌하지만…

나는 류세이가 자기 잘못을 깨닫고 돌아오기만 하면

바지 케이스케한테 그렇게 전해.

그냥 놔줄 테니까 우리한테 신경 꺼라.

그러면 돼.

─그 말 하려고 납치한 거야.

이제 가 봐.

류세이─.

쿵…

빠 캉

145

바보 같은 놈….

왜 그런 미친놈이 하는 대로 가만히 있어?

언제나 헤실헤실 여유 부리던 게 너잖아.

—바보
같은
놈이
…!!!

뭐라는 거야,
너—.

지금

자기가
어떤 상황인지
모를 만큼
바보였냐?

—죽어.

그대로
똑같이
되돌려
주마.

그 대사

보너스 만화

자기
오토바이도
없으면
폭주족
실격이니까.

아는
사람이
싸게
양도해
줬어.

그래봤자
이런저런
아르바이트
엄청
했지만.

그만해─.
나도
아니까!!

뭐, 다행히
도만에는
그런 녀석은
없…

그런 놈이
있으면
팀의 격도
떨어지잖아.

매번
다른
사람 뒤에
태워달라고
하는 것도
모양 빠지고.

뭐든지
…?

호스트는 어때?
좋은 손님을
잡으면 한 번에
확 벌 수 있어.

내, 내가
그런 걸
어떻게 해!!

게다가 중학생!!

나도
이 이상
바지
선배에게
폐 끼치고
싶지
않아…!!

오토바이
살 거야!!
뭔가 벌이가
괜찮은 알바
없어?
뭐든지 할게!!

좋아…. 난 오늘부터 열심히 일해서 돈을 모을게!!

그동안에는 바지 선배 뒤에 타지 않을 거야!!

걸어서 가겠습니다!!

후일— 1번대 집회.

부아아아아앙

부아앙

커버 아래
속표지로
이어집니다…!!

그건 그렇고…
언젠가 1번대에서
호스트 클럽을 하면
잘될 것 같은데….

역시
자전거는
관둬라.

돈 모을 때까지
태워 줄 테니까,

......

158

NEXT
1번대 VS. 요츠야 괴단
이 녀석은 내가 친다.
그리고 류세이가 치후유의 앞을 막아서는데?!
류세이!!!!
도쿄 리벤저스 3
Tokyo Revengers
~바지 케이스케로부터의 편지~
-Letter from Keisuke Baji-
다음 권을 기대해 주세요!!

학산 코믹스
10387

도쿄 리벤저스 ~바지 케이스케로부터의 편지~ ②

2024년 3월 25일 초판발행
2024년 4월 10일 2쇄발행

저   자 : Ken Wakui/Yukinori Natsukawaguchi
역   자 : 박소현
발 행 인 : 정동훈
편 집 인 : 여영아
편집책임 : 황정아 곽보라 백유진
미술담당 : 김홍진
발 행 처 : (주)학산문화사

서울특별시 동작구 상도로 282 학산빌딩
편집부 : 828-8988, 8864   FAX : 816-6471
영업부 : 828-8986
1995년 7월 1일 등록 제3-632호
http://www.haksanpub.co.kr

ISBN 979-11-411-2400-7 07650
값 6,000원 : ISBN 979-11-411-2398-7(세트)